Dilyn dwy afon

Dewch i *ddilyn* dwy *afon*: afon Tywi ac afon Teifi.
Byddwn ni'n edrych ar bethau diddorol:

- hanes
- *bywyd gwyllt*
- chwaraeon
- *trefi*

ac yn cwrdd â phobl arbennig.

Mae afon Tywi ac afon Teifi yn *ne-orllewin* Cymru.

dilyn – *to follow*	
afon (b) – *river*	
bywyd gwyllt – *wildlife*	
trefi – *towns* (un. tref b)	
de-orllewin – *south-west*	

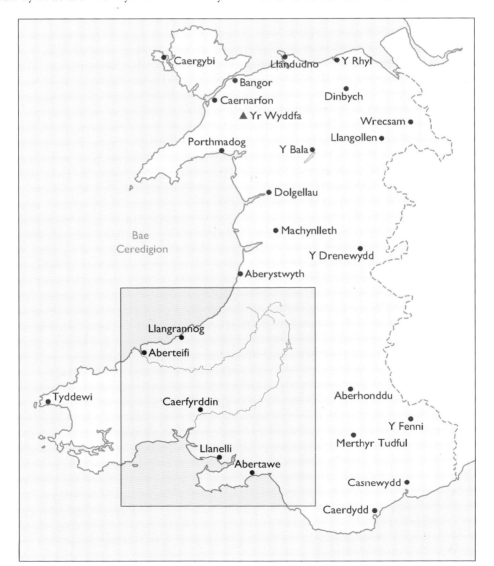

Afon Tywi

Tarddiad afon Tywi

Llyn Brianne

Gwarchodfa
Natur Dinas

Rhandir-mwyn ●

Llandymddyfri ●

Castell
Dinefwr

Aberglasne ❁

CAERFYRDDIN

Llanarthne

Castell Dryslwyn

Llandeilo

❁
Gardd Fotaneg
Genedlaethol Cymru

Castell
Carreg Cennen

Castell
Llansteffan

● **Glan-y-fferi**

Afon Tywi

Mae afon Tywi yn 68 milltir *o hyd* – yr afon *hiraf* yng Nghymru. Mae *tarddiad* yr afon uwchben *Coedwig* Tywi yn Sir Gaerfyrddin.

Llyn Brianne

Mae *cronfa ddŵr* Llyn Brianne yn rhoi dŵr i lawer o bobl de Cymru *ers* 1973. Mae'n lle da i fynd am dro hefyd. Mae miloedd o *ymwelwyr* yn dod i'r *ardal*.

Siawns am sgwrs?

Sut dych chi'n gallu mynd i Lyn Brianne?

Pam mae pobl yn hoffi mynd yno?

o hyd – *in length*	cronfa ddŵr (b) – *reservoir*
hiraf – *longest* (hir)	ers – *since*
tarddiad (g) – *source*	ymwelwyr – *visitors* (un. ymwelydd g)
coedwig (b) – *forest*	ardal (b) – *district*

Llyn Brianne

Twm Siôn Cati

Roedd Twm Siôn Cati'n byw *rhwng* 1530 a 1610. Roedd e'n dod o Dregaron. Enw ei dad oedd John (Siôn) ac enw ei fam oedd Catherine (Cati). Mae llawer o *hanesion* am Twm Siôn Cati.
Fe oedd 'Robin Hood' Cymru.
Roedd e'n *dwyn* arian y bobl *gyfoethog* a rhoi'r arian i'r bobl *dlawd*.
Roedd e'n *cuddio* mewn *ogof* yn Ystrad-ffin, ar bwys Rhandir-mwyn.
Priododd e ferch gyfoethog.
Daeth yn *Sgweier* yn y diwedd.

Dych chi'n gallu mynd am dro i weld ogof Twm Siôn Cati. Ewch i *warchodfa natur* Dinas yr RSPB, Gwenffrwd.

rhwng – *between*
hanesion – *tales* (un. hanesyn g)
dwyn – *to steal*
cyfoethog – *wealthy*
tlawd – *poor*
cuddio – *to hide*
ogof (b) – *cave*
sgweier – *squire*
gwarchodfa natur – *nature reserve*

Twm Siôn Cati yn rhoi croeso i ymwelwyr i'w gartref – cyn priodi!

Rhandir-mwyn

Ystyr 'mwyn' yn yr enw yw '*ore*', nid '*pleasant*', fel y mae rhai pobl yn meddwl. Pentref bach *tawel* iawn yw Rhandir-mwyn heddiw, ond yn yr hen amser roedd *diwydiant plwm* yma. Yn 1791 roedd 400 o bobl yn gweithio yn y diwydiant. Daeth llawer o'r *gweithwyr* o *Gernyw* – teuluoedd gydag enwau fel Bettison, Theophilus ac Augustus – ond dysgon nhw Gymraeg yn gyflym iawn!

> ystyr (g) – *meaning*
> tawel – *quiet*
> diwydiant plwm – *lead industry*
> gweithwyr – *workers* (un. gweithiwr g)
> Cernyw – *Cornwall*

Llanymddyfri

Tre *farchnad* yw Llanymddyfri. Roedd y *Rhufeiniaid* yma rhwng 50 a 60 OC. Cododd y Normaniaid gastell ac eglwys ar bwys y dre – eglwys Llanfair-ar-y-bryn. Yma mae *bedd* William Williams, Pantycelyn.

Mae Coleg Llanymddyfri yn enwog. Sefydlodd Thomas Phillips y coleg yn 1848. Roedd e wedi bod yn *feddyg* yn India. Roedd Carwyn James yn athro yn y coleg. Fe oedd *hyfforddwr* tîm rygbi Llanelli a'r *Llewod* yn y 1970au.

> marchnad (b) – *market*
> Rhufeiniaid – *Romans*
> OC – *AD* (Oed Crist)
> meddyg (g) – *doctor*
> sefydlu – *to establish*
> bedd (g) – *grave*
> hyfforddwr (g) – *coach*
> llewod – *lions* (un. llew g)

Pwy oedd William Williams, Pantycelyn?

Roedd e'n byw o 1717 i 1791. Roedd e'n byw mewn fferm o'r enw Pantycelyn. Roedd e eisiau bod yn feddyg. Ond, clywodd e Howel Harris, y *diwygiwr* enwog yn *pregethu*. Penderfynodd e fod yn ficer. *Ymunodd* e â'r *Methodistiaid*. Ysgrifennodd e dros 800 o *emynau* Cymraeg a Saesneg. 'Guide Me, O Thou Great Jehovah' yw'r emyn Saesneg *enwocaf*. Mae teulu William Williams yn byw ym Mhantycelyn *o hyd*. Mae desg ysgrifennu a chloc tad-cu William Williams yno.

Darlun o William Williams mewn ffenest liw yn Eglwys Llanymddyfri.

> diwygiwr (g) – *reformer*
> pregethu – *to preach*
> ymuno â – *to join*
> Methodistiaid – *Methodists*
> emynau – *hymns* (un. emyn g)
> enwocaf – *most famous* (enwog)
> o hyd – *still*

Siawns am sgwrs?

Beth dych chi'n feddwl o Twm Siôn Cati?

Pam mae pobl yn hoffi canu emynau mewn gêm rygbi?

Tre'r porthmyn

Roedd *porthmyn* yn gyrru *gwartheg* o Gymru i Loegr. Roedd llawer o borthmyn *de* Cymru yn *cwrdd* yn Llanymddyfri cyn mynd i farchnadoedd Lloegr. Roedd rhaid i'r porthmyn *gario* llawer o arian gyda nhw. Roedd hynny'n *beryglus*. Felly, yn 1799 penderfynodd porthmon o'r enw David Jones sefydlu banc yn Llanymddyfri. Enw'r banc oedd Banc yr *Eidion* Du. Aeth y banc yn *rhan* o fanc Lloyds yn 1909.

porthmyn – *drovers*
gwartheg – *cattle*
de – *south*
cwrdd – *to meet*
cario – *to carry*
peryglus – *dangerous*
eidion (g) – *steer*
rhan (b) – *part*

Cerflun o borthmon yn Llanymddyfri

Llandeilo

Mae llawer o siopau *gwahanol* yma. Mae Llandeilo'n enwog am:
• *hen bethau*
• dillad
• *offer* i'r gegin
• bwyd

Eglwys Teilo yw ystyr enw'r dre. Roedd Teilo Sant yn byw yn y *chweched ganrif* ac mae ei fedd yn y dre. Yn yr eglwys rydych chi'n gallu gweld copi o hen *lawysgrif* Gymraeg o'r *nawfed ganrif*. Llandeilo Fawr yw'r hen enw ar Landeilo.

   Mae Castell Dinefwr yn enwog iawn ac yn hen iawn. Cododd Rhodri Mawr y castell *gwreiddiol* yn y nawfed ganrif. Roedd yr *Arglwydd* Rhys yn byw yno yn y *Canol Oesoedd*. Dinefwr oedd prif lys tywysogion Deheubarth.

   Heddiw, dych chi'n gallu mynd i weld castell a pharc Dinefwr. Yno, mae gwartheg gwyn *prin* yn byw. Mae'r parc wedi cael statws NNR – gwarchodfa natur *genedlaethol*.

gwahanol – *different*
hen bethau – *antiques*
offer – *utensils*
chweched ganrif – *sixth century*
llawysgrif (b) – *manuscript*
gwreiddiol – *original*
nawfed ganrif – *ninth century*
arglwydd (g) – *lord*
Canol Oesoedd – *Middle Ages*
Harri Tudur – *Henry Tudor*
brwydr (b) – *battle*
prin – *rare*
cenedlaethol – *national*
bwa (b) – *arch*
cestyll – *castles (un. castell g)*

Bwa Pont Llandeilo yw'r bwa mwyaf yng Nghymru ▶

Castell Dinefwr

Castell Carreg Cennen

Castell Dryslwyn

Siawns am sgwrs?

Oes rhywbeth diddorol i chi yn Llandeilo?

Dych chi'n hoffi mynd i weld *cestyll*? Pam?

Ydy cestyll yn bwysig heddiw?

Gerddi Dyffryn Tywi

Mae *gerddi* hyfryd yn *Nyffryn* Tywi.
Gardd Aberglasne, a'r Ardd *Fotaneg*
Genedlaethol. Mae llawer o bobl yn dod
i'r ardal i *ymweld â*'r ddwy ardd.

gerddi – *gardens* (un. gardd b)
dyffryn (g) – *valley*
Gardd Fotaneg – *Botanical Garden*
ymweld â – *to visit*

Aberglasne

Mae tŷ mawr a gerddi yn Aberglasne.
Roedd y gerddi'n *wyllt* a'r tŷ'n edrych yn
ofnadwy, ond gweithiodd llawer o bobl yn
galed iawn. Nawr mae Aberglasne'n cael ei
enwi yn y llyfr *Heritage Gardens, the
World's Great Gardens Saved by
Restoration – yr unig* ardd o Gymru, ac un
o ddim ond pedair ym Mhrydain.

gwyllt – *wild*
enwi – *to name*
yr unig – *the only*

Gardd Fotaneg Genedlaethol Cymru

Mae'r ardd yn enwog am y tŷ *gwydr* mawr a'r tŷ *trofannol*. Dych chi'n gallu *treulio* llawer o amser yn mynd o gwmpas i weld popeth sydd yma.

gwydr (g) – *glass*
trofannol – *tropical*
treulio – *to spend time*
cynllunydd gerddi – *garden designer*
Llundain – *London*
cefnogi – *to support*
gwych – *fantastic*
mynd â chleientiaid – *to take clients*
syniadau – *ideas* (un. syniad g)
lwcus – *lucky*

Mae Helen Scutt yn gweithio fel *cynllunydd gerddi*. Mae hi'n dod yn wreiddiol o Lanarthne, yn Nyffryn Tywi. Roedd hi'n byw yn *Llundain*, ond symudodd hi i fyw yn Llandeilo. Mae hi'n hoffi Llandeilo'n fawr iawn ac mae hi'n *cefnogi* Aberglasne a'r Ardd Fotaneg.

❝ Mae'r ddwy ardd yn nyffryn Tywi yn *wych*. Dw i'n hoffi *mynd â chleientiaid* i weld y gerddi. Maen nhw'n cael *syniadau* a gweld beth maen nhw'n hoffi mewn gardd. Ry'n ni'n *lwcus* iawn i gael y ddwy ardd yn y dyffryn. ❞

Gardd Fotaneg Genedlaethol Cymru, Llanarthne

Caerfyrddin

Caerfyrddin yw tre *hynaf* Cymru.
Cododd y Rhufeiniaid amffitheatr i bum *mil* o bobl.
Yn yr hen *briordy*, ysgrifennodd *mynach* Lyfr Du
Caerfyrddin, llawysgrif hynaf Cymru.
Cododd y Normaniaid gastell yma.
Mae bedd Syr Rhys ap Thomas yn Eglwys *San Pedr*.
Roedd *carchar* ar bwys y castell. Nawr, mae
swyddfeydd y *Cyngor Sir* yno.

hynaf – *oldest* (hen)
mil – *thousand*
priordy (g) – *priory*
mynach (g) – *monk*
San Pedr – *Saint Peter*
carchar (g) – *jail*
swyddfeydd – *offices* (un. swyddfa b)
Cyngor Sir – *County Council*

Hanes yr Hen Dderwen

Roedd y *dewin* Myrddin yn dod o Gaerfyrddin.
Roedd e'n byw yn y dre ar *ddiwedd y* bumed
ganrif. Dwedodd Myrddin, 'Bydd derwen yn
tyfu yng Nghaerfyrddin. Ond bydd
Caerfyrddin yn *boddi os* bydd y dderwen yn
cwympo.'
    Roedd derwen yn tyfu yn y dre o 1659 i'r
1800au. Wedyn, *gofalodd* pobl Caerfyrddin
am y dderwen – derwen Myrddin. Roedd
darnau o'r dderwen mewn *concrid* a *dur* tan y
1970au. Wedyn, roedd rhaid *gwella*'r ffordd a
symud y dderwen i *Neuadd Ddinesig* San Pedr.
Roedd *llifogydd* mawr yng Nghaerfyrddin yn
1987 ond mae'r dre yno o hyd!

dewin (g) – *magician*
diwedd y – *the end of*
derwen (b) – *oak*
tyfu – *to grow*
boddi – *to drown*
os – *if*
cwympo – *to fall*
gofalu ... am – *to look after*
darnau – *bits* (un. darn g)
concrid (g) – *concrete*
dur (g) – *steel*
gwella – *to improve*
Neuadd Ddinesig – *Civic Hall*
llifogydd – *floods*

Marchnad Caerfyrddin 2007

Caerfyrddin – Tre siopa

Caerfyrddin yw *prif* dre siopa'r ardal. Mae hi'n *newid* o hyd. Mae *archfarchnad* fawr ar bwys y dre. Mae'r farchnad yn mynd i symud. Bydd siop fawr a *maes parcio* mawr yn dod.

Ond mae llawer o siopau bach gwahanol yng Nghaerfyrddin hefyd. Ac mae'r siopau'n edrych yn hyfryd. Mae'r *Cynghorydd* Peter Hughes Griffiths yn dweud pam:

> Roedd siopau Caerfyrddin yn edrych fel siopau pob tref arall. Gwydr oedd ffrynt y siopau *i gyd*. Doedd y dre ddim yn edrych yn *hardd* iawn. *Felly*, penderfynodd y Cyngor roi grant i'r siopau. Ro'n nhw'n defnyddio'r arian i newid ffrynt y siop. Nawr mae *cymeriad* i'r siopau. Mae *pren* a gwydr yn y ffenestri. Maen nhw'n edrych fel hen siopau bach. Dyw Caerfyrddin ddim yn edrych fel 'any town' nawr, *diolch byth*!

Marian Ritson yw *perchennog* siop 'Pethau *Bychain*' yng Nghaerfyrddin. Yn y siop mae pethau i'r cartref fel – *dodrefn*, llestri, lampau, *llenni*, *basgedi* a *drychau*.

> Dewisais i'r enw 'pethau bychain' i'r siop achos geiriau Dewi Sant 'Gwnewch y pethau bychain'. Mae'r geiriau'n bwysig i'r *Cymry*. Mae *gweithwyr* y siop i gyd yn siarad Cymraeg, mae *hynny*'n bwysig iawn. Mae pethau bychain yn gwneud *gwahaniaeth* yn y cartref. Does dim rhaid *gwario* llawer iawn o arian i gael cartref hyfryd. Hefyd, ry'n ni'n ceisio gwneud pethau bychain i roi *gwasanaeth* da. Felly, mae 'Pethau Bychain' yn enw da iawn i'r siop.

prif – *main*
newid – *to change*
archfarchnad (b) – *supermarket*
maes parcio (g) – *car park*
cynghorydd (g) – *councillor*
fel – *like*
i gyd – *all*
hardd – *attractive*
felly – *so*
cymeriad (g) – *character*
pren (g) – *wood*
diolch byth – *thank goodness*

perchennog (g) – *owner*
bychain – *small (pl. form of 'bach' / 'bychan')*
dodrefn – *furniture*
llenni – *curtains (un. llen g)*
basgedi – *baskets (un. basged b)*
drychau – *mirrors (un. drych g)*
Cymry – *Welsh people*
gweithwyr – *staff (un. gweithiwr g)*
hynny – *that*
gwahaniaeth (g) – *difference*
gwario – *to spend money*
gwasanaeth (g) – *service*

 Siawns am sgwrs?

Ydy 'cymeriad' siopau yn bwysig?

Ble dych chi'n hoffi mynd i siopa – archfarchnad neu siopau bach?

Pam mae Aberglasne a'r Ardd Fotaneg yn bwysig?

Un o bobl Caerfyrddin yw'r *Prifardd* Mererid Hopwood. Hi yw'r ferch *gyntaf* i ennill y gadair yn yr Eisteddfod Genedlaethol. Mae hi hefyd wedi ennill y *goron*. Mae hi'n siarad llawer o *ieithoedd*: Cymraeg (wrth gwrs!), Saesneg, *Almaeneg, Sbaeneg* a *Ffrangeg*. Mae hi'n dysgu yn y *brifysgol* yn Abertawe ac mewn ysgol yng Nghaerfyrddin, yn ysgrifennu llyfrau ac yn gwneud gwaith teledu a radio.

" *Wyt ti'n dod o Gaerfyrddin yn wreiddiol?*

Na, dw i'n dod o Gaerdydd yn wreiddiol. Ond mae teulu fy mam a fy nhad yn dod o Sir Benfro, o *ardal* Pen-caer, Abergwaun. Bues i yn y brifysgol yn Aberystwyth, Freiburg (yr Almaen), Salamanca (Sbaen) a Llundain. Symudais i i Gaerfyrddin yn 1993.

Yng Nghaerfyrddin dysgaist ti gynganeddu?

Ie, es i i ddosbarth nos yng Nghaerfyrddin. Yr athro oedd y Prifardd Tudur Dylan Jones. Roedd e'n athro da iawn ac roedd y gwersi'n hwyl.

Pryd a ble enillaist ti'r gadair?

Enillais i'r gadair yn Eisteddfod Genedlaethol *Dinbych* 2001. Roedd yn ddiwrnod *bythgofiadwy*. Roedd fy mab Llewelyn yn bum mlwydd oed. Gwelodd e Ray o'r Mynydd (*y diweddar* Ray Gravell, *Ceidwad y Cledd*), yn codi'r *cleddyf* uwch fy mhen, a gaeth e *ofn* mawr! Roedd e'n meddwl *bod* Ray yn mynd i dorri fy mhen i *bant*. Ond doedd dim rhaid poeni. Ar ôl i bawb weiddi 'Heddwch', roedd popeth yn iawn!

Wyt ti'n hoffi eistedd yn y gadair a gwisgo'r goron weithiau?

Mae'r gadair a'r goron yn hardd iawn. Mae'r gadair yn *ddefnyddiol* iawn, ond dw i ddim yn gwisgo'r goron! Mae hi mewn *blwch* arbennig yng nghornel y lolfa.

Ble rwyt ti'n ysgrifennu cerddi?

Mae ystafell gyda fi yng nghornel y tŷ. Dw i'n hoffi eistedd yno ar ôl i bawb gysgu ac mae'r tŷ yn dawel.

Oes teulu gyda ti? Ydyn nhw'n hoffi cael Prifardd yn y teulu?

Oes, mae teulu mawr ac agos gyda fi. Yng Nghaerfyrddin, dw i'n byw gyda fy ngŵr a'n plant – dwy ferch ac un mab. Ond mam dw i, nid prifardd! Fi sy'n dweud: 'Cadw dy ystafell yn *daclus*' a 'Cer i ymarfer y piano' a 'Gwna dy waith cartref!' *Druan o'r plant*!

Wyt ti'n hoffi byw yng Nghaerfyrddin?

Dw i wrth fy modd yn byw yng Nghaerfyrddin. Mae'r *cymdogion* yn garedig a *chyfeillgar*. Mae llawer o *fannau dymunol* i fynd am dro ar y beics. "

Prifardd – *a poet who has won the chair or the crown at the National Eisteddfod*

cyntaf – *first*

coron (b) – *crown*

ieithoedd – *languages* (un. iaith b)

Almaeneg – *German*

Sbaeneg – *Spanish*

Ffrangeg – *French*

prifysgol (b) – *university*

ardal (b) – *district*

cynganeddu – *the art of writing poetry in 'cynghanedd', a special form of strict metre*

Dinbych – *Denbigh*

bythgofiadwy – *memorable*

y diweddar – *the late*

Ceidwad y Cledd – *Keeper of the Sword*

cleddyf (g) – *sword*

ofn (g) – *fright*

bod – *that*

bant – *off*

heddwch (g) – *peace*

defnyddiol – *useful*

blwch (g) – *cabinet*

cerddi – *poems*

taclus – *tidy*

Druan o'r plant! – *Poor kids!*

cymdogion – *neighbours* (un. cymydog g)

cyfeillgar – *friendly*

mannau dymunol – *pleasant places*

◀ *Mererid Hopwood yn cael ei chadeirio yn Eisteddfod Genedlaethol Dinbych, 2001*

Siawns am sgwrs?

Pam mae Mererid Hopwood yn berson arbennig?

Beth dych chi'n wybod am y diweddar Ray Gravell?

Ydy'r 'Rheol Gymraeg' yn yr Eisteddfod yn deg?

Aber Afon Tywi

Dyn ni wedi cyrraedd *aber* afon Tywi. Mae'r aber yn lle da iawn i *wylio* adar. Mae pobl hefyd yn *casglu cocos* yma.

Mae dau bentref, un bob ochr i'r aber – Llansteffan a Glan-y-fferi. Yn yr hen amser roedd *pererinion* yn *croesi*'r aber ar eu ffordd i *Dyddewi*. Roedd fferi'n *arfer* croesi'r aber.

Cododd y Normaniaid gastell yn Llansteffan. Roedd Llansteffan yn *borthladd* pwysig. Wedyn, daeth Llansteffan yn bentref gwyliau. Roedd *glowyr* yn arfer dod i Lansteffan ar eu gwyliau.

> aber (g/b) – *estuary*
> gwylio – *to watch*
> casglu cocos – *to pick cockles*
> pererinion – *pilgrims* (un.pererin g)
> croesi – *to cross*
> arfer – *used to*
> Tyddewi – *St. David's*
> porthladd(g) – *port*
> glowyr – *colliers* (un. glôwr g)

Mae Nanw Jones a Tim Lyn yn byw yn Llansteffan. Ro'n nhw'n teithio i weithio yng Nghaerdydd, ond penderfynon nhw ddechrau rhedeg siop 'The Village Stores' yn y pentref ym mis Tachwedd 2006.

66 Dyn ni'n hoffi byw yn Llansteffan. Mae'r bobl yn gyfeillgar iawn. Mae'r pentref yn hyfryd, ac mae'r siop ar bwys y *traeth*. Rhaid codi am chwarter i saith. Mae'r siop yn agor am wyth o'r gloch i werthu *papurau newydd*. Dyn ni'n *cau* am hanner awr wedi chwech y nos. Yn y prynhawn, mae Nanw'n coginio bwyd fel lasagne, ham a pâté. Mae pobl yn prynu bwyd ar y ffordd adref. Dyn ni'n mynd i agor caffi yn y cefn a gwneud Gwely a Brecwast. **99**

> traeth (g) – *beach*
> **papurau newydd** – *newspapers*
> **cau** – *to close*

BWYDYDD DYFFRYN TYWI

Hufen iâ *Golwg y Mynydd* – Capel Isaac

Hufen iâ *Nefol* – Llandeilo. Maen nhw'n gwneud hufen iâ *blas lafant* o ardd Aberglasne.

Dŵr Hafod – Llandeilo

Cacennau Maureen Williams – Dryslwyn

Cwrw 'Ffos y Ffin' – Capel Dewi

Pop Tovali – Caerfyrddin

Caws Pont Gâr – Caerfyrddin

Ham Caerfyrddin

Caws Fferm Nantybwla – Caerfyrddin

Edward ac Eiddwen Morgan, Fferm Nantybwla. Mae amgueddfa ar y fferm.

> bwydydd – *foods* (un. bwyd g)
> golwg y mynydd – *mountain view*
> nefol – *heavenly*
> blas lafant – *taste of lavender*
> amgueddfa (b) – *museum*

Afon Teifi

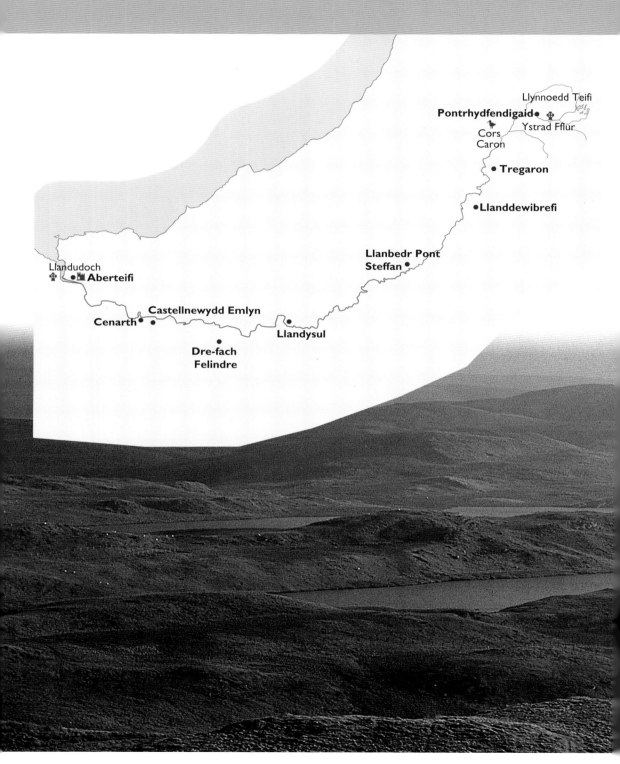

Llynnoedd Teifi

Pontrhydfendigaid●

Ystrad Fflur

Cors
Caron

● Tregaron

● Llanddewibrefi

Llanbedr Pont
Steffan ●

Llandudoch
✚ ● Aberteifi

Castellnewydd Emlyn

Cenarth ● ●

Llandysul

Dre-fach
Felindre

Afon Teifi

Mae tarddiad afon Teifi ar bwys *llynnoedd* Teifi, yng *ngogledd* Ceredigion.

> llynnoedd – *lakes (un. llyn* g)
> gogledd – *north*

Ystrad Fflur

Mae *abaty Ystrad Fflur* yma ers 1184. Roedd y *mynachod* yn pysgota yn llynnoedd Teifi ac roedd *defaid* gyda nhw hefyd. Roedden nhw'n ysgrifennu llawysgrifau Cymraeg yma. Mae beddau rhai o *Dywysogion* Cymru yma.

> abaty Ystrad Fflur – *Strata Florida Abbey*
> mynachod – *monks* (un. mynach g)
> defaid – *sheep* (un. dafad b)
> tywysogion – *princes* (un. tywysog g)

Yr eglwys ar bwys Abaty Ystrad Fflur

Llynnoedd Teifi

Pontrhydfendigaid (Y Bont)

Mae'r 'Bont' yn enwog am y *pafiliwn*. Mae'r pafiliwn yno *achos* Syr David James. Roedd e'n dod o fferm Pantyfedwen, ar bwys Pontrhydfendigaid. Gwnaeth e arian mawr yn *Llundain*. Wedyn, roedd e eisiau rhoi rhywbeth nôl i'r pentref. Rhoddodd e arian i godi'r pafiliwn yn y 1960au. Roedd eisteddfodau, *dramâu* a *chyngherddau* yn digwydd yno. *Caeodd* y pafiliwn yn 2000 ond casglodd pobl leol arian i'w *wella*. Agorodd eto ym mis Mai 2006.

pafiliwn (g) – *pavilion*
achos – *because of*
Llundain – *London*
dramâu – *plays* (un. drama b)
cyngherddau – *concerts* (un. cyngerdd g/b)
(caeodd) cau – *to close*
gwella – *to renovate*

Cors Caron

Mae gwarchodfa natur arbennig yma. Mae 20,000 o bobl yn dod i'r warchodfa bob blwyddyn. Mae *cuddfan* yno i *wylio* adar fel y *barcud*.

cuddfan (b) – *a hide*
gwylio – *to watch*
barcud (g) – *kite*

Cors Caron

Gig mawr yn y Pafiliwn, 2006

Tregaron

Tre fach hyfryd yw Tregaron.
Mae'r eglwys ar *fryn* yng nghanol y dre.
Roedd y porthmyn yn cwrdd yma, fel yn
Llanymddyfri.
Mae *cofgolofn* i Henry Richard (1812–88) yma.
Roedd e'n dod o Dregaron ac yn *Aelod Seneddol*
dros Ferthyr Tudful. Sefydlodd e *Undeb
Heddwch* Ewrop. Enw arall ar Henry Richard
yw'r '*Apostol* Heddwch'.

Cofgolofn Henry Richard

bryn (g) – *a hill*
cofgolofn (b) – *statue*
Aelod Seneddol – *Member of Parliament*
Undeb (g) – *Union*
heddwch (g) – *peace*
apostol (g) – *apostle*

Canolfan Aur Cymru

Yng Nghanolfan *Aur* Cymru dych chi'n gallu
prynu *gemwaith* Rhiannon. Dechreuodd
Rhiannon wneud gemwaith aur ac *arian* yn 1971.
Mae hi'n defnyddio *patrymau Celtaidd*. Heddiw,
mae'n gwerthu ar y *we* dros y byd i gyd.

Mae Rhiannon yn defnyddio aur Cymru yn ei
gwaith. Mae aur Cymru yn brin, felly mae Aur
Cymru Rhiannon yn cynnwys 10% *yn unig*. Mae
ei *modrwyau priodas* yn *boblogaidd* iawn.

Mae *crefftau* eraill yn y ganolfan hefyd, a
gwaith *arlunwyr* lleol. Mae saith o bobl yn
gweithio yn y ganolfan.

Rhiannon yn gweithio

aur (g) – *gold*
gemwaith (g) – *jewellery*
arian (g) – *silver*
patrymau Celtaidd – *Celtic patterns*
y we (b) – *the internet*
cynnwys – *to contain*
yn unig – *only*
modrwyau priodas – *wedding rings* (un. modrwy b)
poblogaidd – *popular*
crefftau – *crafts* (un. crefft b)
arlunwyr – *artists* (un. arlunydd g)

Trotian

Mae *trotian* yn boblogaidd yn ardal Tregaron.
Mae *rasys* yn digwydd yma bob blwyddyn. Mae
ceffylau'n dod o *Brydain* ac *Iwerddon*.
Weithiau, mae'r rasys ar y teledu, ar S4C.

trotian – *to trot*
rasys – *races* (un. ras b)
Prydain – *Britain*
Iwerddon – *Ireland*

Cobiau

Mae llawer o bobl yn *bridio Cobiau Cymreig*
yn ardal Tregaron. Mae'r cob yn *addas* i
oedolion a phlant. Dych chi'n gallu defnyddio'r
cob i dynnu *cerbydau* hefyd.

bridio – *to breed*
Cobiau Cymreig – *Welsh Cobs*
addas – *suitable*
cerbydau – *carts* (un. cerbyd g)

Rasys Tregaron, Awst 2006

Cobiau a'u hebolion (foals) yn pori ar y bryn

Llanddewibrefi

Daeth Dewi Sant yma i bregethu yn y chweched ganrif. Roedd *cannoedd* o bobl wedi dod i wrando ar Dewi a doedd neb yn gallu ei weld e. Ond cododd y ddaear o dan ei draed a gwneud bryn. Mae eglwys Dewi Sant ar y bryn heddiw. Mae enw'r pentref yn enwog achos 'Daffyd' yn y rhaglen deledu *Little Britain*. Mae pobl yn dod i'r pentref i dynnu eu llun ar bwys yr arwydd Llanddewibrefi.

cannoedd – *hundreds* (un. cant g)
arwydd (g) – *sign*

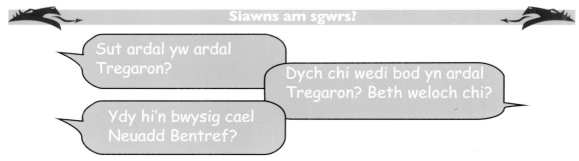

Siawns am sgwrs?

Sut ardal yw ardal Tregaron?

Dych chi wedi bod yn ardal Tregaron? Beth weloch chi?

Ydy hi'n bwysig cael Neuadd Bentref?

Llanbed

Enw *llawn* Llanbed yw 'Llanbedr Pont Steffan'.
Mae'n dre *brysur* iawn. Yn Llanbed mae:
- prifysgol – ers 1822
- swyddfa *cylchgrawn* Cymraeg 'Golwg'
- siopau.

Bob blwyddyn mae pethau'n digwydd yn y dre:
- sioe
- carnifal
- eisteddfod.

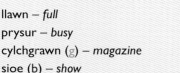

> llawn – *full*
> prysur – *busy*
> cylchgrawn (g) – *magazine*
> sioe (b) – *show*

Eisteddfod Llanbed

Dorian Jones yw *ysgrifennydd*
Eisteddfod Llanbed.

❝ *Faint o waith yw trefnu'r Eisteddfod?*
Wel, mae pedwar *pwyllgor* gyda ni.
Pwyllgor *Cerdd*, Pwyllgor *Llefaru*, Pwyllgor
Llenyddiaeth a Phwyllgor *Celf a Chrefft*. Mae'r
pwyllgorau'n cwrdd bedair gwaith y flwyddyn.
Mae'n rhaid trefnu'r *cystadlaethau* a'r *beirniaid*.

Pryd mae'r Eisteddfod yn digwydd?
Dros *ŵyl y banc* ym mis Awst.

Ble mae'r Eisteddfod yn digwydd?
Yn ysgol *gyfun* Llanbed ar ddydd Sadwrn a dydd
Llun gŵyl y banc. Hefyd mae cystadleuaeth
arbennig ar nos Sul ar *gampws* y Brifysgol. Mae
cantorion o dan 30 oed yn cystadlu am £1,000.

Oes plant lleol yn cystadlu?
Oes, ar y dydd Sadwrn, mae cystadlaethau i
blant a phobl ifanc lleol. Ro'n ni'n poeni achos
doedd dim llawer yn cystadlu. Ond y llynedd,
roedd llawer iawn yn cystadlu. Mae'n hyfryd
gweld plant a phobl ifanc lleol yn *dangos*
diddordeb yn yr Eisteddfod.

Oes seremonïau gyda chi?
Oes, pum seremoni: seremoni'r goron, seremoni'r
gadair a seremoni'r *fedal ryddiaith*; hefyd
seremoni'r cadeirio dan 25 oed a seremoni'r *tlws
ieuenctid* dan 25 oed. Mae pawb eisiau *ennill* yn
Eisteddfod Llanbed! Mae Canolfan Aur Tregaron
yn gwneud y goron a'r fedal ryddiaith, a *gof*
lleol, Alec Page, yn gwneud cadair fach. Mae e'n
defnyddio darnau o *haearn*, copr a *phres* ac yn
eu gosod ar *bren derw* lleol. ❞

> ysgrifennydd (g) – *secretary*
> trefnu – *to organise*
> pwyllgor (g) – *committee*
> llefaru – *recitation*
> llenyddiaeth – *literature*
> Celf a Chrefft – *Arts and Crafts*
> cystadlaethau – *competitions*
> (un. cystadleuaeth b)
> beirniaid – *adjudicators* (un. beirniad g)
> gŵyl y banc – *bank holiday*
> cyfun – *comprehensive*
> campws (g) – *campus*
> cantorion – *singers* (un. canwr g/cantores b)
> dangos – *to show*
> seremonïau – *ceremonies* (un. seremoni b)
> y fedal ryddiaith – *the prose medal*
> y tlws ieuenctid – *youth trophy*
> ennill – *to win*
> gof (g) – *smith*
> haearn (g) – *iron*
> pres (g) – *brass*
> pren derw (g) – *oak*
> barn (b) – *opinion*
> cartrefol – *homely*

Barn pobl ifanc am Lanbed

'Tref *gartrefol*.'
'Does dim llawer o bethau i ni yma.'
'Mae eisiau clwb nos a sinema yn Llanbed.'
'Rhaid teithio i Gaerfyrddin neu Aberystwyth i
gael hwyl.'
'Lle hyfryd i fyw.'

Y ddawns flodau yn seremoni coroni'r bardd, Mari George o Gaerdydd, yn 2004

 Siawns am sgwrs?

Pam mae Llanbed yn ganolfan bwysig?

Sut Eisteddfod yw Eisteddfod Llanbed?

Beth dych chi'n feddwl o farn y bobl ifanc?

Llandysul

Mae afon Teifi'n rhedeg yn gyflym iawn yn Llandysul ac mae pobl yn hoffi *canŵio* yma.

Mae Gareth Bryant yn aelod o 'Llandysul Paddlers', clwb canŵio poblogaidd iawn.

" *Pryd dechreuodd y clwb?*

Yn 1984. Mae 240 o aelodau yn y clwb nawr.

Oes croeso i bawb?

Oes, mae pobl *anabl,* teuluoedd a phobl *brofiadol* gyda ni yn y clwb.

Sut mae pobl yn dechrau canŵio?

Maen nhw'n gallu dechrau ym mhwll nofio Llandysul. Wedyn, ar ôl iddyn nhw *ymarfer,* maen nhw'n gallu mynd ar afon Teifi yn yr *haf.* Mae'r bobl brofiadol yn mynd ar yr afon yn yr haf a'r *gaeaf.* Maen nhw'n hoffi'r dŵr gwyllt!

Ble dych chi'n canŵio?

Dyn ni'n canŵio ar afon Teifi a hefyd dyn ni'n mynd ar y môr. *Fel arfer* dyn ni'n mynd i Gei Newydd neu Langrannog.

Beth am y pysgotwyr?

Wel, dyn ni ddim eisiau *dadlau â'r* pysgotwyr. Dyn ni'n ceisio *cadw draw* os dyn ni'n gallu! **"**

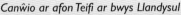
Canŵio ar afon Teifi ar bwys Llandysul

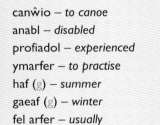

canŵio – *to canoe*
anabl – *disabled*
profiadol – *experienced*
ymarfer – *to practise*
haf (g) – *summer*
gaeaf (g) – *winter*
fel arfer – *usually*
dadlau â – *to argue with*
cadw draw – *to keep away*

Dre-fach Felindre

Roedd y *diwydiant gwlân* yn bwysig yn Nre-fach Felindre. Roedd *melinau* gwlân yma, yn gwneud *gwlanen. Erbyn* 1900 roedd 52 melin yn y pentref.

Ond cwympodd pris gwlân. Caeodd llawer o felinau. Erbyn 1930 dim ond deuddeg melin oedd *ar ôl* yn Nre-fach Felindre.

Heddiw, mae'n *werth* mynd i weld Amgueddfa Wlân Genedlaethol Cymru yn Nre-fach Felindre. Dych chi'n gallu gweld sut roedd pobl yn *trin* y gwlân i wneud gwlanen.

diwydiant (g) – *industry*
gwlân (g) – *wool*
melinau – *mills* (un. melin b)
gwlanen (b) – *flannel*
erbyn – *by*
ar ôl – *left*
gwerth – *worth*
trin – *to treat*

T. Llew Jones

T. Llew Jones yw awdur plant enwocaf Cymru. Mae'n dod o Bentre-cwrt, ger Dre-fach Felindre.

Cafodd ei eni yn 1915.

Roedd ei dad yn *wehydd* mewn ffatri wlân. Roedd yn athro a phrifathro cyn mynd yn awdur amser llawn.

Enillodd e ddwy gadair yn yr Eisteddfod Genedlaethol yn 1958 a 1959.

Ysgrifennodd farddoniaeth i blant a llawer o lyfrau poblogaidd.

Ysgrifennodd nofelau *hanesyddol* i blant – *yn cynnwys* tair nofel am hanes Twm Siôn Cati.

Yn 1977 cafodd e *radd anrhydeddus* gan Brifysgol Cymru.

> gwehydd (g) – *weaver*
> hanesyddol – *historical*
> yn cynnwys – *including*
> gradd anrhydeddus – *honorary degree*
> rhagor – *more*

Y Prifardd T. Llew Jones ac un o'i lyfrau poblogaidd

Siawns am sgwrs?

Beth yw'r 'ddadl' rhwng y canŵ-wyr a'r pysgotwyr?

Sut fywyd oedd yn Nre-fach gan mlynedd yn ôl?

Ydych chi'n gwybod *rhagor* am T. Llew Jones?

Castellnewydd Emlyn

Roedd hen gastell yma, ond cododd Syr Rhys ap Thomas y 'castell newydd' yn àmser y Tuduriaid. Mae Castellnewydd yn dref farchnad bwysig.

Gŵyl Calon y Ddraig

Mae *gŵyl* arbennig yn digwydd yng Nghastellnewydd Emlyn. Mae'r ŵyl yn *dathlu* lladd y ddraig *olaf* yng Nghymru.

Ond beth yw'r ddraig? Digwyddodd *brwydr* yng Nghastellnewydd Emlyn yn 1403. *Cipiodd* Owain Glyndŵr y castell am dipyn bach. Ond collodd Owain y frwydr. Owain oedd 'draig' olaf Cymru.

gŵyl (b) – *festival*
Calon y Ddraig – *Heart of the Dragon*
dathlu – *to celebrate*
olaf – *last*
brwydr (b) – *battle*
cipio – *to capture*

Cenarth

Mae Cenarth yn bentref hardd iawn, gyda *rhaeadr* ar afon Teifi.

rhaeadr (b) – *waterfall*

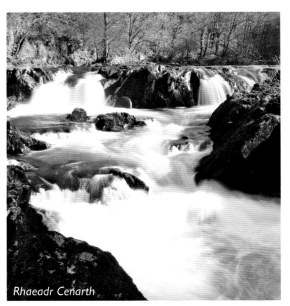

Rhaeadr Cenarth

Gŵyl Calon y Ddraig, Castellnewydd Emlyn

Y Cwrwgl

Mae afon Teifi'n enwog am y *cwrwgl*. Cwch bach fel hanner *wy Pasg* yw e. Mae un person yn gallu mynd *ynddo fe*. Tua 1850 roedd 300 cwrwgl yng Nghenarth. Roedd y bobl yn defnyddio'r cwrwgl i bysgota, teithio *ar hyd* yr afon a helpu i olchi'r defaid. Heddiw, mae Canolfan Genedlaethol y Cwrwgl yng Nghenarth.

Mae'r *tymor* pysgota mewn cwrwgl o fis Mawrth tan *ddiwedd* mis Awst. Mae Bernard Thomas o Lechryd yn pysgota bob dydd o'r tymor. Mae e hefyd wedi croesi'r *Sianel* o *Loegr* i *Ffrainc* mewn cwrwgl.

Mae regata Cyryglau ar afon Teifi yng Nghilgerran ym mis Awst. Mae pobl yn dod i eistedd ar bwys y castell i weld rasio a physgota mewn cyryglau.

cwrwgl (g) – *coracle*
wy (g) – *egg*
Pasg – *Easter*
ynddo fe – *in it*
ar hyd – *along*
tymor (g) – *season*
diwedd (g) – *end*
sianel (g) – *channel*
Lloegr – *England*
Ffrainc – *France*

Bernard Thomas yn ei gwrwgl

Regata cyryglau yng Nghilgerran

Siawns am sgwrs?

Pam mae Castellnewydd Emlyn yn dre farchnad bwysig?

Ydy Gŵyl Calon y Ddraig yn apelio at bobl ifanc? Pam, dych chi'n meddwl?

Dych chi eisiau trio mynd mewn cwrwgl? Pam?

Caws Cenarth

Mae Caws Cenarth yn enwog iawn. Caws organig yw e. Mae teulu Adams, fferm Glyneithinog, yn gwneud *sawl math* o gaws.

Ond sut mae gwneud caws? Mae Mrs Betty Adams yn egluro:

- Codi'n gynnar – tua 5.30 y bore, i *basteureiddio'r* llaeth.

- Tua 8 o'r gloch, mae'r gweithwyr yn cyrraedd.

- Rhoi'r *cychwynnydd* i mewn. Mae cychwynnydd gwahanol i bob caws.

- Rhoi'r *cywair* i mewn.

- Mae'r llaeth yn *gwahanu* ac yn rhoi *ceuled* a *maidd.*

- Mae *crystyn* ar yr wyneb – y ceuled. Defnyddio *cyllell* i dorri'r ceuled. Dim ond 10% o'r llaeth sy'n mynd i wneud y caws.

- Tynnu'r maidd i gyd allan. Mae ffermwr lleol yn rhoi'r maidd i'w *foch.*

- Rhoi *halen* ar y ceuled. Bydd yn helpu'r caws i *gadw.*

- Rhoi'r ceuled mewn *mowldiau.*

- Rhoi'r mowldiau mewn *twba* yn llawn o ddŵr a halen am 24 awr.

- Rhoi'r caws ar *silffoedd* mewn ystafell *storio.*

- Cadw'r caws ar 5°C.

- Troi'r caws bob dydd.
  Rhaid troi'r caws:
  – am dair wythnos i wneud Caws Cenarth (caws gwyn fel caws Caerffili);
  – am chwe wythnos i wneud caws Perl Wen (caws *meddal* gwyn);
  – am ddeuddeg wythnos i wneud caws Perl Las (caws meddal glas)

- Wedyn mae'r caws yn *barod.*

sawl math o – many kinds of
pasteureiddio – *to pasteurise*
cychwynnydd (g) – *starter*
cywair (g) – *rennet*
gwahanu – *to separate*
ceuled (g) – *curd*
maidd (g) – *whey*
crystyn (g) – *crust*
cyllell (b) – *knife*
moch – *pigs (un. mochyn g)*
halen (g) – *salt*
cadw – *to keep*
mowldiau – *molds (un mold g)*
twba (g) – *tub*
silffoedd – *shelves (un. silff b)*
storio – *to store*
meddal – *soft*
parod – *ready*

Troi'r caws ar y silffoedd

Aberteifi

Cododd y Normaniaid gastell (arall, eto!) yn Aberteifi. Ond cipiodd y Cymry'r castell. Digwyddodd yr Eisteddfod *gyntaf* yma yn 1176. Yr Arglwydd Rhys oedd *noddwr* yr Eisteddfod. Daeth pobl i gystadlu o Gymru, Lloegr, Iwerddon a'r *Alban*. Nawr mae grŵp o bobl leol, *Ymddiriedolaeth* Cadwgan, yn *ymgyrchu* i achub y castell.

Roedd *porthladd* mawr yn Aberteifi yn y 1800au. Roedd pobl yn adeiladu llongau yma hefyd. Roedd llongau Aberteifi'n *hwylio* i Iwerddon ac hefyd i Ogledd a De America. Aeth llawer o bobl o'r ardal i fyw yng Nghanada ac America. Mae tre o'r enw 'New Cardigan' yng Nghanada heddiw. Ond ar ôl i'r *rheilffordd* ddod i Aberteifi, aeth y porthladd yn dawel.

Heddiw, mae Aberteifi'n ganolfan brysur gyda siopau, theatr, ac *orielau* – yn cynnwys oriel yr arlunydd enwog Aneurin Jones.

Mae tair gŵyl bwysig yn digwydd yma bob blwyddyn. Ddiwedd mis Ebrill mae dydd Sadwrn Barlys – sioe geffylau a hen beiriannau fferm – i ddathlu bywyd gwledig. Wedyn, ddiwedd mis Mehefin neu ddechrau mis Gorffennaf mae Eisteddfod Gŵyl Fawr Aberteifi – am bedwar diwrnod. Ac ym mis Awst mae Gŵyl Fwyd ac Afon.

Yn yr ŵyl yma dych chi'n gallu:
- gweld *cychod* a llongau ar yr afon
- *blasu* a phrynu bwydydd lleol
- mwynhau yn y *ffair*

---

cyntaf – *first*
noddwr (g) – *patron*
yr Alban – *Scotland*
Ymddiriedolaeth (b) – *Trust*
ymgyrchu – *to campaign*
porthladd (g) – *port*
hwylio – *to sail*
rheilffordd (b) – *railway*
orielau – *galleries* (un. oriel b)
peiriannau – *machinery* (un. peiriant g)
cychod – *boats* (un. cwch g)
blasu – *to taste*
ffair (b) – *fair*

Mae'r porthladd wedi newid, ond mae'r bont yma o hyd

Cwmni recordiau Fflach

Recordio yn stiwdio Fflach

Yn Aberteifi, mae stiwdio *cwmni* recordiau *Fflach*. Dechreuodd dau frawd, Richard a Wyn Jones, y cwmni nôl yn 1981.

❝ Pam penderfynoch chi ddechrau'r cwmni?
Ro'n ni'n chwarae mewn grŵp o'r enw 'Ail Symudiad'. Ro'n ni eisiau recordio a phenderfynon ni recordio *ein hunain* a grwpiau lleol eraill.

Sut datblygodd y cwmni?
Ar y *dechrau*, ro'n ni'n recordio mewn *festri capel* ar 8 trac. Wedyn symudon ni i stiwdio 24 trac a nawr mae stiwdio 32 trac gyda ni.

Pa fath o gerddoriaeth dych chi'n recordio?
Pob math a dweud y gwir. Mae cerddoriaeth i blant yn boblogaidd iawn. CD o'r enw 'Dau gi bach' yw ein *gwerthwr gorau* ni. Mae label roc gyda ni i fandiau roc.

Fflach Tradd yw enw'r label i gerddoriaeth *draddodiadol* Cymru. Mae'r CDau yn gwerthu'n dda iawn – yn Lloegr, Yr Alban, Iwerddon, *UDA*, Canada a Ffrainc. Mae dros 300 CD yn y catalog *ar hyn o bryd.* ❞

cwmni (g) – *company*
fflach (b) – *flash*
Ail Symudiad – *Second Movement*
ein hunain – *ourselves*
dechrau (g) – *beginning*
festri capel – *chapel vestry*
math (g) – *kind*
pa fath – *what kind*
gwerthwr gorau – *best-seller*
traddodiadol – *traditional*
UDA – *USA*
ar hyn o bryd – *at the moment*

Llandudoch

Dyn ni wedi cyrraedd aber afon Teifi.
Ar bwys aber afon Teifi, mae pentref
Llandudoch. Mae'r pentref yn Sir Benfro.
Mae hen hanes i Landudoch. Roedd eglwys
Geltaidd yma. Mae *abaty* yma ers 1115. Roedd
mynachod Llandudoch yn *berchen ar Ynys Bŷr*
(ar bwys *Dinbych y Pysgod*).

Mae canolfan newydd i ymwelwyr yma i roi
hanes Abaty Llandudoch a'r ardal. Mae pedair
croes gynnar i'w gweld yma a llawer o *drysorau*
eraill. Mae'r pren a'r cerrig yn yr adeilad yn dod
o'r ardal. Mae *porfa* ar y to. Mae Gŵyl
Llandudoch yn digwydd am *bythefnos* ym mis

Mai, gyda chyngherddau awyr agored yn yr
abaty, ac Eisteddfod yn Neuadd y Pentref.

abaty (g) – *monastry*
mynachod – *monks* (un. mynach g)
perchen ar – *to own*
Ynys Bŷr – *Caldy Island*
Dinbych y Pysgod – *Tenby*
croes (b) – *cross*
trysorau – *treasures* (un. trysor g)
porfa (g) – *grass*
pythefnos (g/b) – *fortnight*

*Syniad artist o
Abaty Llandudoch
ar lan afon Teifi*

BWYDYDD DYFFRYN TEIFI

Hufen iâ Caffi Conti – Llanbed

Mefus Nantyronnen – Llanybydder

Cwrw '*Bragwr* Arbennig o Geredigion' – Llandysul

Cig Organig Fferm Nantgwynfaen – Llandysul

Wafflau Tregroes, Llandysul

Madarch Shiitake – Maesyffin, Llandysul

Caws Cenarth

Blawd Melin Llandudoch

Mike Hall yn rhoi'r blawd mewn bagiau

mefus – *strawberries* (un. mefusen b)
bragwr (g) – *brewer*
madarch – *mushrooms*
blawd (g) – *flour*

Siawns am sgwrs?

Pam mae Llandudoch yn lle diddorol?

Sut fywyd oedd gan y mynachod yn Ystrad Fflur (tud. 17) a Llandudoch?

I bwy mae'r diwydiant bwydydd lleol yn bwysig?